PHILIPPE LEDUC • MARIE-CHRISTINE REY

CHABICOUIN
AU MARAIS LONG

Un conte musical raconté par Gilles Pelletier

Illustré par

Nathalie Huybrechts

Dédié à Lune et Frédéric, l'humanité nouvelle

La Voie lactée

CARTE BLANCHE

Je veux rendre hommage à ma mère, Hélène Fréchette-Leduc, qui baptisa du nom de Chabicouin un véritable caneton que j'avais reçu à Pâques. Pour le nommer, ma mère s'était inspirée de son conte de Noël Chabichou, diffusé à la radio de Radio-Canada quelques mois auparavant.

Plusieurs années plus tard, je créais à mon tour un conte de Noël intitulé Chabicouin. Par son nom, Chabicouin porte ainsi l'empreinte de l'imaginaire et de la force d'âme de ma mère.

Pour la vie, l'amour, les vacances à la mer et ta créativité, merci infiniment.

PHILIPPE LEDUC

MISE EN PAGES : Folio Infographie
IMPRESSION : AGMV Marquis

CD

IDÉE ORIGINALE : Philippe Leduc
TEXTES ET DIALOGUES : Marie-Christine Rey et Philippe Leduc

RÉALISATION DU CD : Philippe Leduc et Serge Lacroix
Enregistré et mixé aux Studios Marko Inc. à Montréal
MUSIQUE, ARRANGEMENTS, ORCHESTRATION ET DIRECTION MUSICALE : Philippe Leduc

MUSICIENS : Philippe Leduc (chef), Daniel R. Mathieu (basse), Monique Lacasse (claviers), Richard Pelletier (percussions et batterie), Richard Ring (guitares). *Cuivres :* Michaël Cartile, Pierre Sickini, Daniel Doyon, André Verreault, Robert Ellis. *Cordes :* Eugène Husaruk, Juan Fernandez, Gratiel Robitaille, Adolfo Bornstein, Gérald Sergent, Leslie Malowany, Sylvie Lambert.

LES COMÉDIENS, PAR ORDRE D'ENTRÉE CHRONOLOGIQUE :
Gilles Pelletier, Marie-Christine Rey, Lise Thouin, Philippe Leduc, Ronald France, Hélène Grégoire, Louise Lemire, Camille Bélanger, Pière Senécal, Johanne Blouin, Jacques Edmond, Jacques Godin, Raymond Lebrun et Denise Proulx.

CHŒUR D'ANIMAUX : Monique Lacasse, Louise Lemire, Johanne Blouin, Pière Senécal et Philippe Leduc

CARTE BLANCHE
Tél. : (514) 276-1298 • Fax : (514) 276-1349
carteblanche@vl.videotron.ca
www.chabicouin.com

Diffusion : FIDES
Tél. : (514) 745-4290 • Fax : (514) 745-4299

Dépôt légal : 4e trimestre 2004
Bibliothèque nationale du Québec

ISBN 2-89590-044-2

Enfin l'été! Enfin les vacances! Nicolas et Nathalie viennent tout juste d'arriver à leur chalet situé sur les bords d'un magnifique lac des Laurentides. Tout d'abord, ils aident leurs parents à installer la maisonnée. Mais déjà, bottes aux pieds, les voilà partis à la découverte du Marais long en compagnie de leur fidèle chien Bazou. Jamais ils n'auraient pu se douter de ce qu'il allait leur arriver…

Barbotant dans l'eau, Nicolas essaie d'attraper des grenouilles. Nathalie, elle, préfère les apprivoiser et s'en faire des amies. Soudain, Nicolas entend une voix:

— C'est pas gentil de tuer des grenouilles !
Surpris, Nicolas tombe à la renverse dans
l'eau en voyant devant lui un canard qui
parle. Eh oui, un canard qui parle !

MAIS OUI, C'EST MOI, CHABI

Mais oui, c'est moi, Chabi
Chabi! Chabi!
J'suis Chabicouin!
Clopin-clopant!
Je suis l'ami de toutes les grenouilles,
Oh! Chabi!
Mais oui, c'est moi, Chabi!
Chabi! Chabi!
J'suis Chabicouin!
Clopin-clopant!
Je suis l'ami de tous les animaux,
Chabicouin!
Mais oui, je parle comme vous,
Chabi! Chabi!
J'vous attendais.
Clopin-clopant!
J'attendais ce moment depuis
longtemps,
Les enfants,
Eh oui, c'est moi,
Chabi! Chabi!
J'suis Chabicouin.

Remis de leurs émotions, Nathalie et Nicolas font la connaissance de Chabicouin qui leur explique :

— Un jour, la belle fée Naturella m'a confié comme mission de convaincre les hommes de respecter les grandes lois de la nature pour qu'ils puissent enfin vivre heureux, en paix avec tous les animaux sur cette terre. Et c'est pour cela qu'elle m'a donné la parole.

Les enfants, d'un commun accord, décident aussitôt d'aider Chabicouin dans sa mission.

Et c'est ainsi que Nathalie, Nicolas et Bazou font la connaissance de Chabicouin. Bien sûr, toute la nuit, nos amis rêvent à leur nouvel ami.

Le lendemain matin, alors qu'ils prennent leur petit-déjeuner, leur mère leur apprend que le lac déborde et que la décharge du lac est bloquée. Avant d'aller rejoindre leur père, ils se dépêchent d'aller avertir Chabicouin. Leur nouvel ami réfléchit à la situation et trouve bien vite les coupables. Ensemble, ils se dirigent vers la décharge. Chabicouin présente aux enfants Grignoton et Grignotine, les castors bâtisseurs.

C'EST NOUS, GRIGNOTON ET GRIGNOTINE !

C'est nous, Grignoton et Grignotine !
C'est nous, les castors bâtisseurs.
Grignote par-ci, grignote par-là,
C'est notre bonheur.
Pour des maisons, des barrages,
Nous voilà !
Au boulot !

Pour nous, l'écorce des arbres,
C'est un délice.
Pour nous, pas de gaspillage !
Faut qu'on bâtisse.
On mange l'écorce, on prend le tronc,
Pour faire maison.
Il n'y a que nous qui sachions
Assembler des bâtons !
Au boulot !

L'entrée de nos maisons se trouve sous l'eau.
Pour s'y glisser en secret, incognito !
C'est pourquoi on construit aussi des barrages.
Pour maintenir l'eau au bon niveau,
À notre avantage.
Au boulot ! Au boulot ! Au boulot ! Au boulot !

Chabicouin leur explique que le barrage qu'ils viennent de construire provoque l'inondation des chalets.

— Qu'est-ce qu'on va faire ? demande Grignoton. On ne peut pas inonder tous les chalets ni se passer de maison. Quel problème !

— Voyons, Grignoton, il n'y a pas de problème. Il n'y a qu'une solution à trouver ! lui répond Chabicouin.

— Et moi, je l'ai trouvée ! s'exclame Gargouille la grenouille. Je vous ai trouvé la plus belle rivière du monde et, en plus, richement bordée de trembles et de boulots.

Grignoton et Grignotine sautent de joie. Avant de déménager, Grignoton pousse d'un coup de queue un billot afin de détruire le barrage. Au même moment, plouf ! Nicolas tombe à l'eau.

Et c'est à la queue leu leu que tout notre petit monde suit Gargouille la grenouille qui les mène en bondissant vers cette merveilleuse rivière… Nicolas, tout mouillé, les suit malgré les rires de Bazou, qui lance de grands Rouff ! Rouff ! Rouff !

— Ah ! Arrête de rire de moi Bazou ! lui dit Nicolas.

Et c'est ainsi que nos amis, grâce à Chabicouin et à Gargouille, ont pu sauver les chalets tout en rendant très heureux Grignoton et Grignotine…

Sur le sentier du retour, nos amis font la rencontre inattendue de Coquette la moufette, une autre amie de Chabicouin. Incommodés par l'odeur de la ravissante Coquette, Nicolas et Nathalie se pincent le nez pour écouter son récit. Elle s'est faite toute une beauté pour aller réconforter Bouhou le hibou qui a perdu son ami Raton, tombé dans le piège d'un braconnier.

BOUHOU, HIER SOIR !

Bouhou, bouhou,
Bouhou, hier soir,
J'ai perdu mon ami,
Mon ami Raton.
Bouhou, je lui avais bien dit
De se méfier des pièges des braconniers.
Je sais bien que ce n'est pas la saison.
Pourquoi est-ce tombé sur mon ami Raton ?
Qui sera le prochain à s'en aller ?
Tout ça à cause d'un braconnier.
Bouhou, hier soir,
J'ai perdu mon ami,
Mon ami Raton.
Bouhou, je lui avais bien dit
De se méfier des pièges des braconniers.
Bouhou, bouhou.

Chabicouin s'exclame :

— Quoi ! Un braconnier ici ! Quelqu'un qui pose des pièges alors que c'est totalement défendu !

— Oui, toutes les nuits, il passe par ce sentier relever ses pièges, lui répond Bouhou.

Chabicouin est furieux. Il demande de l'aide aux enfants, à Bazou et à Coquette pour que le braconnier ne recommence plus jamais de s'en prendre aux habitants de la forêt.

Au coucher du soleil, Coquette, Bazou, Nathalie, Nicolas et Chabicouin se retrouvent, tel que convenu, à l'orée du bois. Le soir tombe, il commence à faire noir. Nicolas trébuche sur des racines et tombe sur le sol. Les enfants se mettent à avoir peur. Coquette appelle tout de suite Farandole la luciole qui arrive avec ses amies.

OH! OUI, C'EST MOI FARANDOLE!

Oh! Oui, c'est moi Farandole!
Farandole la luciole.
Moi quand j'arrive tout revole.
Quand on m'appelle, je suis là!
Avec ma troupe derrière moi.

Quand vous avez peur, très peur,
Dans le noir de la nuit,
Appelez-nous, nous serons
comme vos bougies.
Nous éclairerons votre piste
Comme mille feux d'artifice.
On fera de notre mieux,
nous les mouches à feu!

Nous te suivons Farandole
Durant toutes ces nuits folles,
Pour vous faire de la lumière
On en fait notre affaire.
Vous verrez très clair!

Oh! Oui, c'est moi Farandole!
Farandole la luciole.
Moi quand j'arrive tout revole.
Quand on m'appelle, je suis là!
Avec ma troupe derrière moi…

Chabicouin, tout heureux, s'écrie :
— Farandole, tu nous sauves la vie ! Grâce à toi et à tes compagnes, nous pourrons voir et attraper le méchant braconnier. Idée lumineuse, chère Coquette !

L'heure est arrivée. Bouhou, en hululant, signale la présence du braconnier.

Aussitôt, Bazou se jette sur lui et lui mord fermement le fond de culotte. Farandole lance ses amis maringouins à l'attaque pendant que Coquette asperge copieusement le braconnier de son parfum.

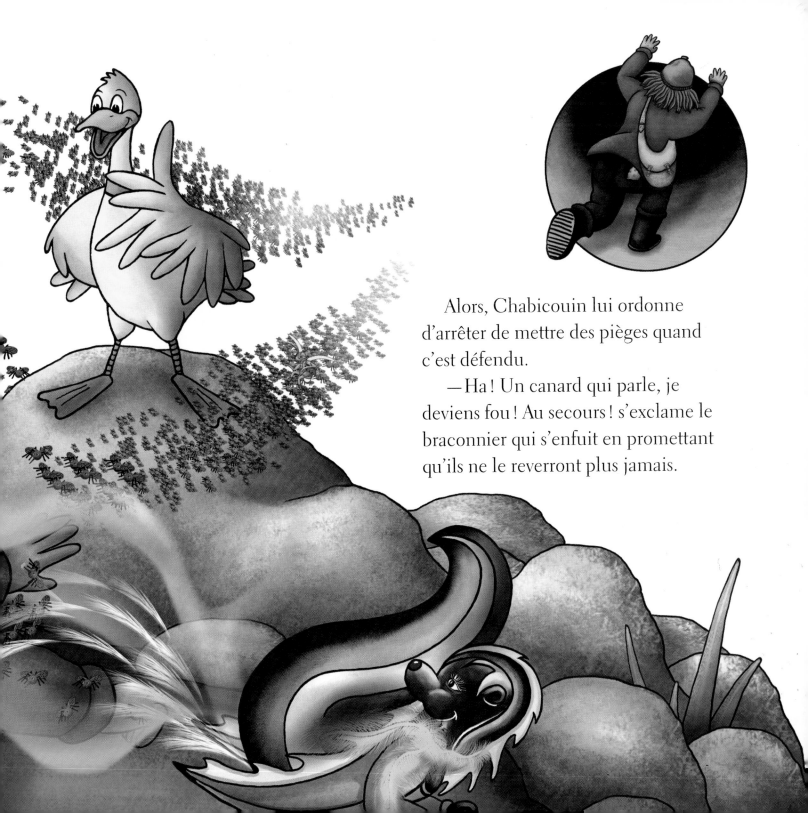

Alors, Chabicouin lui ordonne d'arrêter de mettre des pièges quand c'est défendu.

—Ha ! Un canard qui parle, je deviens fou ! Au secours ! s'exclame le braconnier qui s'enfuit en promettant qu'ils ne le reverront plus jamais.

Sur le chemin du retour, Chabicouin fait découvrir à Nicolas et Nathalie les dessins que forment les étoiles. En particulier celles qui ressemblent à une grosse casserole et qu'on appelle la constellation de la Grande Ourse. Tous sont émerveillés. Et c'est là-dessus que Chabi et ses amis se quittent pour aller dormir d'un sommeil bien mérité.

Une semaine plus tard, Nicolas essaye d'attacher Bazou à une voiturette. Il veut entraîner son chien pour les courses, comme les Esquimaux. Nathalie s'impatiente parce que Chabicouin les attend. Dès qu'ils arrivent, Chabicouin est impressionné du travail de Nicolas… qui lui avoue que Nathalie l'a aidé pour la peinture et les roues. Encore une belle journée qui s'annonce !

Soudain, Secrète la fauvette, celle qui porte un masque sur les yeux, se met à chanter.

— Qu'est-ce que tu dis, Secrète ? demande Chabicouin. Mais c'est très grave ! Il faut sonner l'alerte générale !

Puis s'adressant aux autres :

— Vite ! Je n'ai pas le temps de vous expliquer ! Suivez-moi. Bazou, fonce jusqu'aux chutes Arc-en-ciel. On va vraiment avoir besoin de toi !

Et Bazou, n'écoutant que son courage, s'élance dans la forêt, oubliant totalement qu'il traîne Nicolas dans sa voiturette. Ce dernier a beau lui crier d'arrêter, Bazou file comme une flèche sans rien entendre.

— Ha ! Bazou, arrête ! J'en peux plus ! Stop ! J'veux descendre ! supplie Nicolas.

21

À bout de souffle, ils arrivent aux chutes Arc-en-ciel. C'est la panique ! Fanfan le petit faon est en train de se noyer. Il se débat désespérément dans les eaux tumultueuses des chutes.

— Au secours, je me noie ! se lamente Fanfan.

Tous les animaux accourent pour le secourir. Nicolas détache Bazou. Une voix inconnue dirige le sauvetage.

— À mon commandement ! Allez Nounou, on plonge. Par ici, Grignoton et Grignotine. Plus vite ! Faut lui sortir la tête de l'eau ! Mais enfin, Nounou ! Grouille-toi. Et vous, le chien, qu'est-ce que vous fabriquez-là ? Poussez du bon côté, voyons !

Enfin, ils parviennent à sortir Fanfan de l'eau.
Il est sauvé mais il grelotte. Chabicouin appelle à la
rescousse Rubis le colibri, car il possède les plus rapides
battements d'ailes qu'il connaisse.

— Tiens, le voilà, déjà ! dit Nathalie. Ah ! Il a la
gorge toute rouge ! Et il vole même par en arrière ?

— Oui, c'est le seul oiseau qui puisse le faire, lui
répond Chabicouin.

Mais qu'elle était donc la voix
qui commandait tout le monde ?
C'était la Petite Puce !

MOI, JE NE SUIS QU'UNE PETITE PUCE

Moi, je ne suis qu'une petite puce
Qui a encore au cou sa suce.
Et celui que j'aime par-dessus tout
C'est mon gros Nounou, mon gros toutou.
C'est lui que j'aime surtout.

Parfois ce qu'il me fait la vie dure
Avec ses griffes et ses morsures !
Je pique ici et pique là !
Et puis voilà !

Moi, je suis son gros Nounou.
Celui qu'elle prend pour son joujou.
Quand elle me pique tout partout
Je deviens fou, tout marabout.
Mais je l'aime beaucoup.
Ah ! Mais ce qu'elle me fait la vie dure
Quand elle redouble ses piqûres.
Je grogne par-ci ! Je gratte par-là !
Et puis voilà !
Moi je ne suis qu'une petite puce.
Moi je suis son gros Nounou.
Et si je le pique comme un cactus
C'est peut-être qu'elle m'aime beaucoup.
Mais oui, c'est toi que j'aime Nounou.
Tourelou ! Bisou !

— Oh ! Chabi, comme tu es chanceux d'avoir des amis comme ça ! s'émerveille Nathalie.

— Coin ! Et à partir d'aujourd'hui, ce sont aussi vos amis !

Au fil des jours, nos amis connaissent des aventures plus palpitantes les unes que les autres. Tout au long de l'été, Chabicouin émerveille ses jeunes amis en leur faisant découvrir les mille et un trésors du royaume de la belle fée Naturella. Mais l'été tire à sa fin. Le temps de l'école approche. Chabicouin doit émigrer vers le Sud. Tous nos amis vont devoir se séparer pour longtemps.

Devant la tristesse de ses amis, Chabicouin promet à Nicolas, Nathalie et Bazou qu'il reviendra fêter Noël avec eux, dans la neige.

En secret, il a réuni tous les amis de la forêt pour rendre leur départ un peu moins triste. Tous sont au rendez-vous, cachés derrière les buissons, attendant le signal de Chabicouin.

— Que la fête commence, les amis ! lance soudain Chabicouin.

En chœur, tous les animaux s'écrient :

— Coucou ! Venez danser et chanter avec nous !

SALUT NICOLAS ! SALUT NATHALIE !

Salut Nicolas ! Salut Nathalie !
On se retrouvera l'année prochaine.
Salut les amis ! Tout n'est pas fini.
On se retrouvera. À la prochaine.
C'qu'on était joyeux avec vous cet été.
Comme c'est malheureux de devoir se quitter.

Salut la p'tite Puce et son gros Nounou !
Gargouille la grenouille et Bouhou le Hibou.
Salut Grignotine, salut Grignoton.
Salut Farandole et tous nos compagnons !
C'qu'on était joyeux avec vous cet été.
On va se retrouver !
C'est promis, c'est juré !

Tabadabada, etc.

Durant les longues soirées d'automne, Nicolas et Nathalie parlent et reparlent encore du merveilleux été qu'ils ont vécu avec Chabicouin et ses amis. Pour accueillir leur nouvel ami, ils ont l'idée de lui construire une petite maison. Tout en clouant et en vissant, les enfants entonnent la chanson de Grignoton et Grignotine, les castors bâtisseurs.

C'EST NOUS, NICOLAS ET NATHALIE !

C'est nous, Nicolas et Nathalie !
Avec tous nos outils, on bâtit.
On cloue par-ci, on visse par-là !
C'est notre joie
De faire un logis
Pour notre ami Chabi.
Au boulot !

Il faut un bon plan bien dessiné.
En plus, de belles planches bien coupées.
Beaucoup de volonté. Un brin d'habileté.
Le tour est joué.
C'est comme ça qu'on bâtit
La maison de Chabi. Au boulot !

Une fois la charpente terminée,
Et que tous les bardeaux sont posés
On passe aux pinceaux. On pose les rideaux.
Quel beau château !
C'est comme ça qu'on bâtit
La maison de Chabi.
Au boulot ! Au boulot ! Au boulot ! Au boulot !

Les premières neiges de l'hiver tombent ! C'est le 24 décembre et tout l'émerveillement de Noël règne dans la maison. Tout d'un coup, deux moineaux espiègles, Tanio et Niota, viennent frapper à la fenêtre de la chambre de Nathalie. L'un d'eux tient une plume de Chabicouin dans son bec. Les enfants comprennent que leur ami les avertit de son retour. Ils remercient les messagers de Chabicouin en leur donnant une généreuse boulette de mie de pain.

YOUPI! CHABI ARRIVE, ARRIVE DEMAIN

Youpi! Chabi arrive, arrive demain.
Youpi, youpi! Tel que promis.
Il s'en vient.
Oh oui! Quelle bonne nouvelle!
C'est notre plus beau Noël.
Chabi, Chabi s'en vient.
Notre Chabicouin!

Merci, merci! Petits moineaux boute-en-train.
Voici, voici, un beau gros morceau de pain.
Ah oui! Quelle jolie plume
Qui vient de son costume.
Chabi, Chabi s'en vient.
Notre Chabicouin!

Youpi! Chabi nous annonce qu'il est en route.
Youpi! Chabi s'en vient. Oui, il n'y a plus de doute.
Oh oui! Quelle bonne nouvelle!
C'est notre plus beau Noël!
Chabi, Chabi s'en vient.
Notre Chabicouin!
Youpi!

Nicolas et Nathalie décident d'aller chercher leur arbre de Noël en traîneau tiré par Bazou, comme les Esquimaux. Après quelques hésitations, leurs parents acceptent leur projet à condition qu'ils ne rentrent pas trop tard, car on annonce une tempête de neige dans la soirée. De leur côté, ils finiront les préparatifs pour le réveillon de Noël. Les décorations sont déjà au salon, il ne manque plus que l'arbre.

Voilà donc nos amis partis à la recherche d'un sapin de Noël. Bazou s'élance hardiment, traînant derrière lui une Nathalie bien emmitouflée et un Nicolas tout heureux de conduire pareille expédition. Suivant les ordres de Secrète la fauvette, Tanio et Niota, nos deux moineaux, ne lâchent plus les enfants d'une semelle.

Sournoisement, le vent se lève. Quelques coins de rue plus loin, ils entendent le départ d'une course à chiens. Nicolas, tout excité, inscrit Bazou à la course. Il est certain qu'il va gagner. Ils auront assez de temps plus tard, pense-t-il, pour acheter leur sapin.

Voici nos amis à la ligne de départ. Tout comme les nombreux concurrents, Nathalie et Nicolas attendent impatiemment le signal, solidement cramponnés à leur traîneau.

Soudain, l'annonceur s'écrie :
— Attention. À vos marques ! Prêts… Partez !

— Quel début de course fulgurant,
mesdames et messieurs, la course
pour la première place sera très ardue.

Pour s'encourager, Nicolas et Nathalie chantent :

VAS-Y BAZOU!

Vas-y Bazou! C'est toi le plus rapide!
Vas-y Bazou! Nous filons comme un bolide!
Vas-y Bazou! Pour nous, c'est toi le plus fort!
Vas-y Bazou! Nous allons battre tous les records.
Plus vite que le vent,
Nous glissons sur la glace.
De tous les concurrents,
Tu es le plus tenace.
Vas-y Bazou! C'est toi le plus rapide.
Vas-y Bazou! Nous filons comme un bolide.
Vas-y Bazou! Pour nous, c'est toi le plus fort!
Vas-y Bazou! Nous allons battre tous les records.

La course est bien engagée. Tour à tour, les traîneaux se dépassent, mais le numéro 22, tiré par Bazou, double sans effort tous les autres. Il franchit seul la ligne d'arrivée. L'annonceur déclare :

— C'est Bazou le grand vainqueur ! Bazou, conduit par Nathalie et Nicolas. Quelle course enlevante ! Par ici s'il vous plaît les enfants, que je remette à Bazou son ruban confirmant son titre de chien le plus rapide de l'année. Bravo Bazou. Et félicitations à Nathalie et Nicolas !

— Je le sais que notre Bazou, c'est le plus fort… et le plus gentil ! dit fièrement Nathalie.

Mais, hélas, leur joie est de courte durée. Le vent continue de souffler de plus en plus fort. Les enfants jouent de malchance. Ils vont de marchand en marchand, à la recherche de leur sapin de Noël, pour obtenir toujours la même réponse :

— Ah ! C'est malheureux pour vous. Je viens de vendre mon dernier sapin il y a à peine cinq minutes… J'ai toujours ce petit sapin-là qui a perdu quelques branches pendant le transport… Tenez. Prenez-le. Je vous le donne. Joyeux Noël, les enfants !

La tempête prend maintenant toute son ampleur. Aveuglés par la poudrerie, essoufflés par le vent, tirant le sapin qu'ils ont installé dans le traîneau, Nathalie, Nicolas et Bazou avancent péniblement vers leur maison. Inlassablement, Tanio et Niota continuent de les suivre.

Malheur ! le vent vient d'emporter, dans la tempête, leur maigre petit sapin sans que les enfants ne s'en aperçoivent. Heureusement pour eux, rien n'échappe à Tanio et Niota.

Grâce au fameux système de télécommunications mis au point par Secrète la fauvette, Tanio et Niota mettent cette dernière rapidement au courant du malheur qui vient de frapper les enfants.

En quelques secondes à peine, le message de Tanio et Niota se rend au repaire des Îles du Sud de Secrète la fauvette, celle qui sait tout.

Tout à coup, Nicolas et Nathalie se rendent compte que leur traîneau est vide. À bout de force, affamés, grelottant, ils décident de rentrer chez eux malgré la perte de leur arbre de Noël.

Arrivés à la maison, ils dévorent les sandwichs que leurs parents leur avaient préparés. Ils se consolent de la perte de leur arbre en pensant que grâce à la présence de Chabicouin ils vont quand même passer un beau Noël. Les enfants épluchent les légumes pour le réveillon.

PLUCHE, PLUCHE, PLUCHE

Pluche, pluche, pluche, pluche, épluche les carottes.
Vont vite, vite. Vont vite, vite
Nos petites menottes.
Oh! Légumes comme vous êtes beaux.
Vous êtes pleins de minéraux.
Vous nous donnez une bonne mine.
Vous regorgez de vitamines.
Pluche, pluche, pluche.
Pluche, pluche, pluche.
Taille, coupe, coupe!
Taille, coupe, coupe! Coupe les oignons.
Pleure, mouche, mouche!
Pleure, mouche, mouche!
Hop! Dans le chaudron.
Des légumes, il faut manger
Pour rester bien en santé.
Ils nous donnent de belles couleurs,
D'la vigueur, d'la bonne humeur.

Pluche, pluche, pluche.
Pluche, pluche, pluche.
Lave, plouf, plouf !
Lave, plouf, plouf ! Lave la laitue.
Mêle pêle-mêle.
Mêle pêle-mêle.
La salade touffue !
Oh ! Légumes comme vous êtes beaux.
Vous êtes pleins de minéraux.
Vous nous donnez une bonne mine.
Vous regorgez de vitamines.
Pluche, pluche, pluche.
Pluche, pluche, pluche.
Cru, cuit, cuit.
Cru, cuit, cuit.
Vous êtes bons de toute façon.
Taille, coupe, coupe.
Taille, coupe, coupe.
Vous faites même de très bonnes soupes.
Des légumes, il faut manger
Pour rester bien en santé.
Ils nous donnent de belles couleurs,
D'la vigueur, d'la bonne humeur.

Épuisés, Nicolas et Nathalie vont se coucher, confiants que leurs parents viendront les réveiller à minuit pour les cadeaux.

Pendant ce temps, très loin dans le Sud, Chabicouin est informé par Secrète la fauvette que les enfants ont perdu leur sapin dans la tempête.

— Comment l'as-tu su ? demande Chabicouin. Ah oui ? Ce sont Tanio et Niota qui te l'ont dit ? Ouais… Un Noël sans sapin, c'est triste. Ce n'est pas un vrai Noël. Hum… Je pense avoir une idée qui va tout arranger. Coin ! Coin !

Nathalie et Nicolas dorment déjà profondément quand leurs parents arrivent. Ceux-ci sont étonnés de ne pas voir de sapin dans le salon, mais ils sont ravis que leurs enfants aient pensé à éplucher les légumes. Ils en sauront un peu plus au réveil des enfants.

Au même moment, dans le Sud, Chabicouin et son escadrille d'oies blanches se préparent à décoller. En bon commandant, Chabi leur donne ses dernières instructions de vol.

— Bien sûr, nous emprunterons le corridor magique ultra-rapide de notre bien-aimée fée Naturella ! Et surtout, prenez garde de ne pas laisser tomber notre précieux colis. À mon commandement…. Déployez vos ailes !

Et voilà Chabicouin qui décolle à la tête de sa magnifique escadrille d'oies blanches. Arrivé à l'altitude voulue, Chabicouin se met à chanter la formule magique qui leur permettra d'atteindre des vitesses vertigineuses grâce au corridor magique de la belle fée Naturella.

PAR LE GRAND PANDA
DE L'HIMALAYA

Par le Grand Panda de l'Himalaya
Qui se prend pour un bol de tapioca.
Ouvre-nous la voie
Fée Naturella !
Par le Grand Koala qui danse la java
Avec un puma en pyjama.
Ouvre-nous la voie
Ouvre-nous la voie
Fée Naturella…

Les parents de Nathalie et de Nicolas sont loin de se douter de tout ce qui se passe là-haut dans le ciel. Chabicouin atterrit avec ses amies et son mystérieux paquet. Il vole alors de fenêtre en fenêtre. Soudain, il aperçoit Bazou qui circulait en flairant partout dans la maison. Bien sûr, il avait senti quelque chose d'anormal dans l'air.

Tout heureux, Bazou remarque enfin, à la fenêtre du salon, Chabicouin qui lui fait de grands signes de ses ailes.

— Vite Bazou ! Viens m'ouvrir la porte. J'ai un gros paquet.

En quelques secondes, Bazou descend à la cave. D'un puissant coup de patte, il ouvre la porte.

L'air tout ahuri, il regarde, stupéfait, le voilier d'oies blanches descendre un énigmatique paquet enveloppé de feuilles de bananier.

— Allez, Bazou! À toi de jouer maintenant! dit Chabicouin. Va installer tout ça au salon… et en silence.

Le plus délicatement possible, Bazou monte le volumineux colis entouré de tant de mystère. Mais, de la cuisine, les parents entendent tout de même de curieux bruits. Ils pensent que c'est Bazou qui s'amuse avec sa balle de caoutchouc.

Ouf! Bazou vient de l'échapper belle. Et c'est de patte de maître qu'il exécute la mission que Chabicouin lui a confiée. Tout aussi silencieusement, il redescend retrouver Chabi.

— Hein? Qu'est-ce que tu dis? lui demande Chabicouin. Hé! Tu… Tu… Tu me chatouilles avec ton gros museau humide. Hé, hé! Arrête! Ça va. J'ai compris. Tu veux que j'entre avec toi dans la maison?

Et c'est en poussant gentiment Chabicouin de son gros museau humide que Bazou le conduit secrètement jusqu'à sa petite maison.

Il est minuit. Les parents vont réveiller les enfants pour qu'ils déballent leurs cadeaux. Quand ils descendent, une surprise les attend : un magnifique palmier trône au beau milieu du salon, en lieu et place du sapin traditionnel ! Les parents, émerveillés, remercient Nicolas et Nathalie de ce beau cadeau si original. En réalité, Nathalie et Nicolas sont aussi surpris que leurs parents. Ils n'en déballent pas moins rapidement leurs cadeaux pendant que leurs parents décorent leur palmier de Noël. Bazou tente d'attirer l'attention de Nicolas et Nathalie. On dirait que Bazou cherche à dire quelque chose aux enfants.

— Rououououfououfououf !

Enfin ! Bazou réussit à entraîner Nathalie et Nicolas jusque dans leur chambre…

Brusquement, Chabicouin sort de sa cachette en s'exclamant :
— Joyeux Noël, les amis !

J'VOUS L'AVAIS DIT LES AMIS !

J'vous l'avais dit les amis !
Chabi, Chabi !
Que je reviendrais
Clopin-clopant !
Pour fêter Noël auprès de vous.
Oh Chabi !
Ce que j'suis content les amis.
Chabi, Chabi !
D'être avec vous.
Clopin-clopant !
C'est tellement merveilleux de s'retrouver.
Tous ensemble !
Quelle belle maison les amis !
Chabi, Chabi !
Je vous remercie.
Clopin-clopant !
Quels beaux vêtements.
Quels beaux présents.
Oh Chabi !
Un grand merci !

C'est le plus beau Noël de Nicolas et Nathalie !

Mais qui a bien pu apporter le palmier ? Chabicouin explique que c'est lui et ses amies les oies blanches qui l'ont transporté, mais que c'est Bazou qui l'a installé. Et tout ça grâce à Tanio et Niota et Secrète la Fauvette, celle qui sait tout.

Et là-haut, très haut dans le ciel, la belle fée Naturella sourit en contemplant Nathalie, Nicolas, Bazou et Chabicouin réunis pour Noël. Pourtant, il lui semble qu'on a oublié quelqu'un. Les enfants ont eu de très beaux cadeaux en plus de la visite de Chabicouin. Leurs parents ont reçu un superbe palmier. Chabicouin lui-même s'est vu offrir une maisonnette ainsi que de magnifiques vêtements d'hiver. La belle fée Naturella comprend soudain qu'il n'y a que Bazou qui n'est pas comblé en cette belle nuit de Noël. Ne s'est-il pas surpassé en installant lui-même le palmier au salon ? N'a-t-il pas démontré beaucoup d'à-propos en conduisant du museau Chabicouin dans sa petite maison ?… Et c'est alors qu'une magnifique aurore boréale illumine le ciel. Cette lueur d'une beauté infinie s'étend sur toute la ville.

— Bazou, en ce jour de Noël, je te donne l'usage de la parole, proclame la belle fée Naturella. Que ton courage, ta force et ta fidélité puissent aider Chabicouin dans la grande mission que je lui ai confiée.

Et savez-vous quelles ont été les premières paroles de Bazou ?

JOYEUX NOËL, CHABICOUIN !

À paraître : CHABICOUIN À LA FERME